Nach den seit 1. 8. 2006 verbindlichen Rechtschreibregeln.

Bibliografische Information der Deutschen Bibliothek
Die Deutsche Bibliothek verzeichnet diese Publikation
in der Deutschen Nationalbibliografie;
detaillierte bibliografische Daten sind im Internet
über http://dnb.ddb.de abrufbar.

Das Wort **Duden** ist für den Verlag
Bibliographisches Institut & F. A. Brockhaus AG
als Marke geschützt.

© Bibliographisches Institut & F. A. Brockhaus AG,
Mannheim 2006 D
Redaktionelle Leitung: Eva Günkinger
Lektorat: Sophia Marzolff
Fachberatung: Ulrike Holzwarth-Raether
Herstellung: Claudia Rönsch
Layout und Satz: Michelle Vollmer, Mainz
Illustration Lesedetektive: Barbara Scholz
Umschlaggestaltung: Mischa Acker
Printed in Malaysia
ISBN 978-3-411-70788-1

Eine unheimliche Nacht

Hanneliese Schulze
mit Bildern von Catharina Westphal

Dudenverlag
Mannheim · Leipzig · Wien · Zürich

Klara hat eine Maus.

Die Maus ist weiß

und hat einen rosa Schwanz.

„Iiii", sagt Paul,

Klaras kleiner Bruder.

„Gar nicht iii", sagt Klara,

„ich finde die Maus süß."

Die Maus wohnt
in einem Käfig,
gleich neben Klaras Bett.
Und sie heißt Fienchen.

Paul findet seinen Teddy süß,
Autos und Dinos
und seine Tigerpantoffeln.

1. Fall:
Was mag
Paul gerne?

☐ Puppen

In denen ist vorne
schon ein Loch.
So oft zieht er sie an.

  **Klaras Maus**  **Dinos**

Abends hören sie Fienchen
im Dunkeln rascheln und fiepen.
Paul findet das unheimlich.
Aber Klara findet es schön.

8

An einem Abend
wollen Mama und Papa
zu Freunden gehen.

„Geht ruhig“, sagt Klara,
„wir sind doch schon groß.
Ich rufe an,
wenn was ist.“

10

Paul und Klara liegen
gemütlich in ihren Betten.
Draußen ist es schon dunkel.
Fienchen raschelt wie immer.

Sie hören,

wie Mama und Papa gehen.

Es ist ganz still.

Bis auf das Rascheln natürlich.

Und das findet Paul
heute besonders laut.
Viel lauter als sonst.
Er hält sich die Ohren zu.

„Stell dich nicht so an",
sagt Klara.

„Es ist aber so unheimlich",
flüstert Paul.

Plopp macht es im Zimmer.
Dann ist es plötzlich
noch stiller.

  Fienchen  Lienchen

Kein Mucks ist mehr zu hören.

Kein Rascheln. Nichts.

„Paul?", flüstert Klara.

„Hast du das gehört?"

„Was war das?", wispert Paul
und kriecht unters Kopfkissen.
„Ich guck mal", sagt Klara leise.

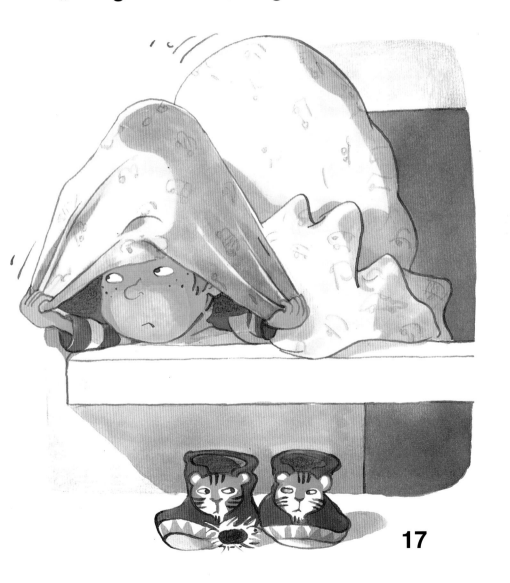

17

Vorsichtig tastet sie
nach der Taschenlampe.
Da knistert es unterm Bett.
Jetzt bekommt Paul richtig Angst.

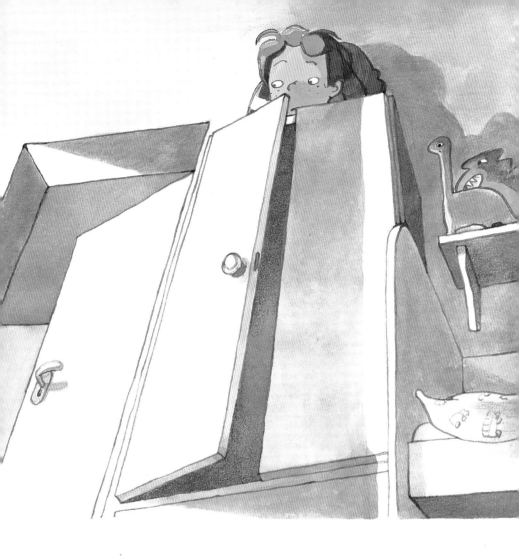

Schnell klettert er auf
das Spielzeugregal
und von da auf den Schrank.
Obwohl es dunkel ist.

Der Schrank knarrt laut.

Etwas raschelt unterm Bett.

Leise bewegt der Wind
die Gardine.

Plötzlich hat auch Klara Angst.

„Paul!", ruft sie leise.

„Mama soll kommen", flüstert Paul.

Aber das Telefon ist weit weg.

Da nimmt Klara

ihren Mut zusammen

und knipst die Taschenlampe an.

Licht fällt in den Käfig.

Der Käfig ist leer!

„Fienchen!", ruft Klara.

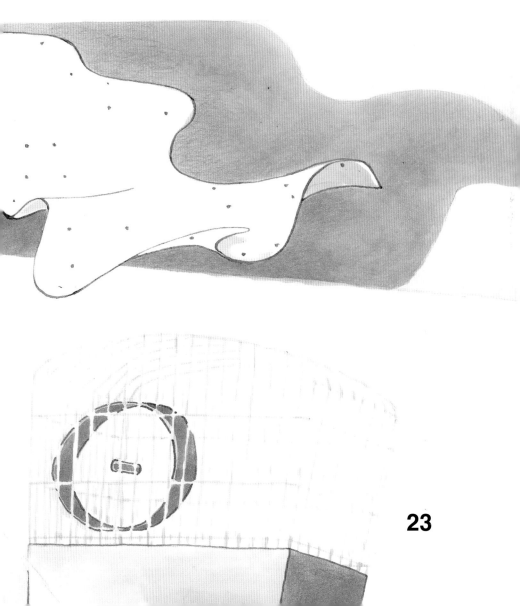

Auf dem Fußboden
huscht Fienchen
aufgeregt hin und her.

24

„Bestimmt hat Fienchen
auch Angst", sagt Klara.
„Die Arme,
wir müssen sie einfangen!"

Schnell springt Klara
aus dem Bett.
Aber Fienchen ist
nicht zu sehen.

26

„Komm doch, Paul,
hilf mir suchen", bittet Klara.
Vorsichtig klettert Paul
vom Schrank herunter.

Er will seine Füße in
die Tigerpantoffeln stecken.
Da guckt Fienchen
aus dem Loch heraus.

3. Fall:
Wo haben Pauls Tiger-
pantoffeln ein Loch?

an der Seite

„Da ist sie!", schreit Paul.

Er ist ganz weiß im Gesicht.

„Warte", sagt Klara,

„ich fange sie ein."

hinten

vorne

Klara hebt Fienchen
vorsichtig hoch
und trägt sie zurück
in den Käfig.

30

Dann flüstert sie:

„Gute Nacht, kleine Maus."

„Mach bloß den Käfig gut zu",

brummt Paul.

Was sagst du dazu?

**Was denkst du, warum Klara
keine Angst vor Mäusen hat?**

Schreibe deine Idee dazu auf und schicke sie uns!
Als Dankeschön verlosen wir unter den
Einsendern zweimal jährlich tolle Buchpreise
aus unserem aktuellen Programm!
Eine Auswahl der Einsendungen veröffentlichen wir
außerdem unter www.lesedetektive.de.

Bibliographisches Institut &
F. A. Brockhaus AG
Duden – Kinder- und
Jugendbuchredaktion
Kennwort: **Fienchen**
Postfach 10 03 11
68003 Mannheim
E-Mail: lesedetektive@duden.de

Die Duden-Lesedetektive: Leseförderung mit System

1. Klasse · 32 Seiten, gebunden

- Finn und Lili auf dem Bauernhof · ISBN 978-3-411-70782-9
- Nuri und die Ziegenfüße · ISBN 978-3-411-70785-0
- Eine unheimliche Nacht · ISBN 978-3-411-70788-1
- Franzi und das falsche Pferd · ISBN 978-3-411-70790-4
- Ein ganz besonderer Ferientag · ISBN 978-3-411-70795-9
- Das gefundene Geld · ISBN 978-3-411-70799-7
- Amelie lernt hexen · ISBN 978-3-411-70804-8

2. Klasse · 32 Seiten, gebunden

- Die Prinzessin im Supermarkt · ISBN 978-3-411-70786-7
- Auf der Suche nach dem verschwundenen Hund · ISBN 978-3-411-70783-6
- Emil und der neue Tacho · ISBN 978-3-411-70789-8
- Sarah und der Findekompass · ISBN 978-3-411-70792-8
- Ein bester Freund mal zwei · ISBN 978-3-411-70796-6
- Eine Sommernacht im Zelt · ISBN 978-3-411-70800-0
- Das Gespenst aus der Kiste · ISBN 978-3-411-70805-5
- Ein blinder Passagier · ISBN 978-3-411-70807-9

3. Klasse · 48 Seiten, gebunden

- Anne und der geheimnisvolle Schlüssel · ISBN 978-3-411-70787-4
- Eins zu null für Leon · ISBN 978-3-411-70784-3
- Viktor und die Fußball-Dinos · ISBN 978-3-411-70793-5
- Nelly, die Piratentochter · ISBN 978-3-411-70797-3
- Herr von Blech zieht ein · ISBN 978-3-411-70802-4
- Prinz Winz aus dem All · ISBN 978-3-411-70806-2

4. Klasse · 48 Seiten, gebunden

- Der Geist aus dem Würstchenglas · ISBN 978-3-411-70794-2
- Der schlechteste Ritter der Welt · ISBN 978-3-411-70798-0
- Kira und die Hexenschuhe · ISBN 978-3-411-70803-1
- Die Inselschüler – Gefahr im Watt · ISBN 978-3-411-70808-6

Ihre Meinung ist uns wichtig! Wie gefällt Ihnen dieses Buch?
Wir freuen uns auf Ihre Rückmeldung unter **www.duden.de/meinung**

Gefunden!
Knote den Streifen einfach
an das Lesebändchen an
und fertig ist dein Lösungsschlüssel
für die Detektivfälle!
Nur bei der richtigen Antwort
passt das abgedruckte Symbol genau
in das entsprechende Schlüsselloch.